Publicado en los Estados Unidos por NG Media
Diseño de portada por NG Media
http://NGmedia.NickGonzalez.com

Número ISBN: 978-1-7374464-3-9

Enviar comentarios a: hola@LibroValiente.com

Diario de Oración para Hombres
Valiente
Refresca tu Espíritu, Recarga tu Mente,
Revitaliza tu Fe.

Nick I. Gonzalez, M. Div.

Reconocimientos

A mi papá, que está en la presencia del Señor, que nos enseñó a mis hermanos y a mí a escribir en una máquina de escribir anticuada: Si solo pudiera verme ahora.

A mi mamá, de 93 años: la persona más alegre y valiente que conozco. Lo siento por casi quemar la casa en la calle York.

A mi hermosa esposa puertorriqueña, Marisol, "Mi Negra." Me alegro de que tu apellido ya fuera González antes de que nos conociéramos. Conseguí un buen trato cuando nos casamos. En serio, eso me ahorró dinero.

A mis cuatro hijos Nicolás, Nicole, Natalie y Naomi: ya saben lo que voy a decir, pero se lo voy a decir una vez mas (no es que ninguno de ustedes vaya a leer esto). Son campeones y vencedores.

A mis hermanos (Jim y Ed, Zenaida y Verónica): ¿Adivina lo que van a recibir para Navidad? Correcto, una copia de este libro.

Conectémonos

Escanee el código Q.R. para dejar comentarios, hacer
preguntas, registrarse para actualizaciones y ser
notificado cuando el próximo volumen de este diario esté
disponible.
O visita http://connect.nickgonzalez.com

*Escanear para conectar con el autor y
descargar material gratis!*

Sobre el Autor

Nick I. González es profesor, ministro, autor y ávido ciclista. Ha estado sirviendo en su iglesia, Victory Outreach, por más de 39 años y le apasiona ayudar a las personas a crecer en su caminar con Cristo.

Casado por más de 32 años y padre de cuatro maravillosos hijos adultos jóvenes, Nick ha estado ayudando a las parejas durante más de 25 años a mejorar sus matrimonios y habilidades de crianza. Espera educar a los lectores sobre los fundamentos comprobados para construir matrimonios felices, saludables y duraderos a través de sus enseñanzas, charlas, sermones, libros, blogs y cursos en línea, en http://NickGonzalez.com.

Nick se graduó del instituto Bíblico, Victory Education & Training Institute (V.E.T.I.), Latin American Bible Institute (L.A.B.I.) y La Facultad de Teología. También obtuvo una Maestría en Divinidad de la Universidad Azusa Pacific.

Actualmente es el director del Ministerio de Educación en Victory Outreach International, que incluye V.E.T.I., y Victory Outreach Bible College (V.O.B.C.). Nick nació en San Francisco, California y ahora vive en el condado de Los Ángeles, California.

Sigue a Nick en las redes sociales aquí:
http://connect.nickgonzalez.com

Los perversos huyen aun cuando nadie los persigue, pero los justos son tan valientes como el león. Proverbios 28:1

Nombre del Valiente

Este Diario de Oración Pertenece a

Nombre: _____

Teléfono: _____

Email:_____

_____
Regalo de:

_____
Fecha:

Contenido

Bienvenidos!

Bienvenidos a Valiente, Diario de oración para hombres. ¿Estás listo para vivir tu vida como Dios quiso y cumplir tu destino? Eso es precisamente lo que este diario de oración va a hacer por ti. Al involucrarte intencionalmente con este libro, descubrirás tu identidad en Cristo.

Cuando entiendes, crees y aceptas quién eres realmente en Cristo, todo cambia. Lo que pensabas que no se podía lograr, ahora se vuelve posible. Descubres que Dios realmente está contigo, que eres valioso y que su llamado y propósito para tu vida son reales. Eso es lo que te hace valiente.

Saber quién eres en Cristo es la clave para una vida cristiana victoriosa. La santa Biblia revela todo acerca de ti: quién eres, por qué estás aquí y tu propósito. Tu trabajo, profesión o título ministerial no te define. Tampoco te definen los nombres negativos con los que te han llamado, el lugar dónde vives, dónde naciste o tu color de piel. Así que, incluso si has estado yendo a la iglesia por un tiempo y estás involucrado en el ministerio, es posible que todavía no sepas quién eres realmente en Cristo.

Ahora, aquí hay algunas buenas noticias: Dios te ha definido. No eres una coincidencia, un error, un accidente o una generalidad aleatoria. Dios, a través de Jesucristo, ya te ha definido y ya ha declarado quién eres. Según la Biblia, eres esencial para Dios, has sido maravillosamente hecho, ¡y eres notable! (Salmo 139:14). A medida que aprendas a verte a ti mismo como Dios te ve, las posibilidades serán infinitas (véase Efesios 3:20, Jeremías 29:11, I Corintios 2:9). Dios no solo te ha definido, sino que también —como descubrirás en este diario— Dios te ha diseñado para un propósito específico (Juan 15:16) porque te ama. Él te ama tanto que envió a su único hijo, Jesucristo, a morir en la cruz por tus pecados, para que pudieras tener vida eterna (Juan 3:16). Si aceptas el acto de amor de Cristo, tu nombre será escrito en el Libro de la Vida (Apocalipsis 20:15). El desafío es interiorizar su Palabra, seguir sus mandamientos y vivir de acuerdo con la Palabra de Dios.

Una vez que aprendas y aceptes lo que Dios dice de ti, sabrás a dónde perteneces y a quién perteneces. Sabrás que has sido elegido y que eres querido. Como resultado, desarrollarás más confianza como individuo, te volverás audaz para Cristo y descubrirás un propósito más profundo (1 Pedro 2:9). Este Diario de oración para hombres está especialmente diseñado para inspirar a los nuevos cristianos y estimular a los creyentes maduros a cultivar un próspero crecimiento espiritual.

Comprometerte con las Escrituras de afirmación diaria; escribiendo tus oraciones, pensamientos y reflexiones, te ayudará a mantener tu mente enfocada en Cristo. Dios hace un camino donde no hay manera; Él te guía hacia toda la verdad y endereza los caminos torcidos. Si estás listo para vivir tu vida como Dios quiso y cumplir tu destino, ¡te la vas a pasar genial!

Oro para que seas desafiado cada día que te involucres con este diario. Todas las instrucciones son fáciles de seguir, y puedes terminar cada instrucción entre cinco y diez minutos. En total, hay 40 afirmaciones bíblicas para profundizar tu fe en Dios. Te reto a memorizar tantas como te sea posible. A medida que interiorizas y obedeces la Palabra de Dios, Cristo da forma a tu vida. Es así como te vuelves valiente y exitoso.

¡Bendiciones!
Nick I. Gonzalez

Acerca de este Diario

Este Diario de oración consta de nueve partes:

1. La fecha. Con este diario, no tienes que preocuparte por perderte un día; simplemente escribe la fecha el día que escribas en el diario, de lunes a viernes. Luego, puedes ponerte al día los fines de semana o comenzar donde te quedaste. No hay prisa, así que disfruta del proceso.

2. Escrituras. Cada día recibirás un versículo bíblico de afirmación diferente. Cópialo en la sección de notas. Dilo en voz alta. Memorízalo. Llena tu mente con todos los versículos bíblicos de afirmación diaria.

3. Indicaciones de oración. Cada día se te harán cinco preguntas para guiarte en la oración y en la reflexión espiritual. Usa el espacio para escribir notas, pensamientos o para dibujar.

   a) La primera pregunta será por qué estás agradecido con Dios. Esta pregunta te ayudará a comenzar tu día con una actitud de gratitud. Si te despertaste enojado, es hora de alegrarte a propósito. ¿El vaso está medio lleno o medio vacío? Es tu elección. Curiosamente, el agradecimiento es la voluntad de Dios para ti (1 Tesalonicenses 5:15-18). A las personas agradecidas les suceden cosas buenas.

   Cuando, intencionalmente, te tomes el tiempo para escribir tus bendiciones, tangibles o intangibles, te sentirás más positivo y notarás una mejoría en tu bienestar mental, físico, espiritual y relacional.

Ser agradecido abre las puertas a mejores relaciones, además, puede mejorar tu sueño, aumentar tu autoestima y ayudarte a apreciar la vida.

b) La segunda pregunta será quién eres según el versículo del día. Está diseñada para afirmar tu posición en Cristo. Esta pregunta es probablemente la mejor parte de este diario de oración. Es Dios hablándote, revelando quién eres como seguidor de Cristo. Lee el versículo, haz una observación y escribe tu respuesta.

c) La tercera pregunta será cómo puedes aplicar las Escrituras del día a tu vida. El objetivo no es simplemente leer un maravilloso versículo de la Biblia, sino aplicar sus enseñanzas y principios en tu vida diaria. Tómate tu tiempo, piensa y escribe.

d) La cuarta pregunta es un pedido para que realices tu oración del día. Todos tienen una oración. Sea lo que sea que esté en tu corazón y en tu mente, echa tus preocupaciones al Señor. Tómate un momento y escríbelo. Tu oración también puede incluir pedir sabiduría y fortaleza para aceptar los estatus en Cristo.

e) La quinta pregunta es un pedido para que escribas los nombres de las personas por las que estás orando. Ora por tu familia, amigos, los líderes espirituales, los líderes del gobierno, los compañeros de trabajo, etc.

4. Meditaciones de Noche. Las noches son un momento adecuado para una revisión de tu día. Sin embargo, no esperes hasta que te estés quedando dormido. Aprovecha esta sección, ya que puedes aprender mucho sobre ti mismo y sobre el Señor, escribiendo observaciones simples.

5. Notas. A algunas personas les gusta escribir, a otras les gusta dibujar y otras solo quieren garabatear. Usa la sección de notas como un área de espacio extra para todas las cosas adicionales. Considera escribirte una nota a ti mismo o al Señor.

6. Reflexión de fin de semana. Esta sección es un excelente lugar para escribir acerca de cómo el Señor te está ministrando, de lo que has aprendido acerca de ti mismo, de Dios y acerca de tu versículo bíblico favorito de la semana.

7. Discusión en grupo. Aprende junto con tu familia y tus amigos. Además, este diario es una excelente herramienta para usar con aquellos a quienes estás discipulando.

8. Devoción de hombres valientes. Al final de cada semana, serás desafiado para aprender una cualidad diferente de hombres valientes. Ponte a la altura del reto e incorpora cada desafío a tu vida.

9. Cavando más profundo. Esta sección es una oportunidad para que respondas a las devociones semanales: cualidades de los hombres valientes.

¿Eres Nuevo en el Diario?

Si eres nuevo en el diario, considera estos consejos.

1. 30 minutos antes de comenzar, asienta tu mente y tu espíritu. Apaga tu teléfono celular y las redes sociales.

2. Comienza con una breve oración, pidiéndole al Señor que abra tus ojos para ver las maravillas de su Palabra.

3. Si te pierdes un día, está bien, simplemente continúa donde te quedaste.

4. Usa las páginas de notas para escribir lo que sientes que el Señor te está diciendo, junto con tus ideas, planes, etc.

5. Para ayudarte a memorizar las Escrituras del día, escríbelas en la página de notas. Luego, lee el capítulo entero de cada versículo, anotando cualquier cosa que se destaque.

6. Ten tu Biblia cerca de ti para buscar los versículos incluidos en este diario. Usa un resaltador para marcar tus versículos favoritos de la Biblia.

7. Cuando hayas terminado de escribir en tu diario, di una breve oración agradeciendo a Dios por la oportunidad de pasar tiempo en su presencia y en su Palabra. Además, pide gozo, sabiduría, gracia, valor y favor para el día.

8. Después de la breve oración, medita durante 20 minutos. Practica la presencia del Señor. Siéntate en silencio y toma varias respiraciones profundas. Enfoca tu mente en la Palabra de Dios o en una canción de adoración (Josué 1:8).

9. No te apresures. Tómate tu tiempo. Disfruta de tu tiempo con Dios.

¿Estás listo

Inicio del Diario de Oración, Día 1.

Fecha: _____

"Pero a todos los que creyeron en él y lo recibieron, les dio el derecho de llegar a ser hijos de Dios." Juan 1:12

1. ESTOY AGRADECIDO CON DIOS POR:

2. SEGÚN LA ESCRITURA DE HOY YO ...

3. ¿CÓMO PUEDO APLICAR ESTA ESCRITURA EN MI VIDA?

4. MI ORACIÓN PARA HOY ES:

5. PERSONAS POR LAS QUE ESTOY ORANDO:

Meditaciones de Noche

A.¿CÓMO FUE TU DÍA HOY?

B.¿CÓMO TE MINISTRÓ EL SEÑOR HOY?

C.¿CUÁL FUE LA PARTE MÁS DESAFIANTE
  DEL DÍA?

D. ¿QUÉ ESPERAS PARA MAÑANA?

" Te conocía aun antes de haberte formado en el vientre de tu madre; antes de que nacieras, te aparté y te nombré mi profeta a las naciones." Jeremías 1:5

1. ESTOY AGRADECIDO CON DIOS POR:

2. SEGÚN LA ESCRITURA DE HOY YO ...

3. ¿CÓMO PUEDO APLICAR ESTA ESCRITURA EN MI VIDA?

4. MI ORACIÓN PARA HOY ES:

5. PERSONAS POR LAS QUE ESTOY ORANDO:

Meditaciones de Noche

A. ¿CÓMO FUE TU DÍA HOY?

B. ¿CÓMO TE MINISTRÓ EL SEÑOR HOY?

C. ¿CUÁL FUE LA PARTE MÁS DESAFIANTE
DEL DÍA?

D. ¿QUÉ ESPERAS PARA MAÑANA?

"Pero ustedes no son así porque son un pueblo elegido. Son sacerdotes del Rey una nación santa, posesión exclusiva de Dios. ... él los ha llamado a salir de la oscuridad y entrar en su luz maravillosa." 1 Pedro 2:9

1. ESTOY AGRADECIDO CON DIOS POR:

2. SEGÚN LA ESCRITURA DE HOY YO ...

3. ¿CÓMO PUEDO APLICAR ESTA ESCRITURA EN MI VIDA?

4. MI ORACIÓN PARA HOY ES:

5. PERSONAS POR LAS QUE ESTOY ORANDO:

Meditaciones de Noche

A. ¿CÓMO FUE TU DÍA HOY?

B. ¿CÓMO TE MINISTRÓ EL SEÑOR HOY?

C. ¿CUÁL FUE LA PARTE MÁS DESAFIANTE DEL DÍA?

D. ¿QUÉ ESPERAS PARA MAÑANA?

Fecha: _____

"Ya que han sido resucitados a una vida nueva con Cristo, pongan la mira en las verdades del cielo, donde Cristo está sentado en el lugar de honor, a la derecha de Dios." Colosenses 3:1

1. ESTOY AGRADECIDO CON DIOS POR:

2. SEGÚN LA ESCRITURA DE HOY YO ...

3. ¿CÓMO PUEDO APLICAR ESTA ESCRITURA EN MI VIDA?

4. MI ORACIÓN PARA HOY ES:

5. PERSONAS POR LAS QUE ESTOY ORANDO:

Meditaciones de Noche

A. ¿CÓMO FUE TU DÍA HOY?

B. ¿CÓMO TE MINISTRÓ EL SEÑOR HOY?

C. ¿CUÁL FUE LA PARTE MÁS DESAFIANTE DEL DÍA?

D. ¿QUÉ ESPERAS PARA MAÑANA?

Fecha: _____

"Si escuchas los mandatos del Señor tu Dios que te entrego hoy y los obedeces cuidadosamente, el Señor te pondrá a la cabeza y no en la cola, y siempre estarás en la cima, nunca por debajo."
Deuteronomio 28:13

1. ESTOY AGRADECIDO CON DIOS POR:

2. SEGÚN LA ESCRITURA DE HOY YO ...

3. ¿CÓMO PUEDO APLICAR ESTA ESCRITURA EN MI VIDA?

4. MI ORACIÓN PARA HOY ES:

5. PERSONAS POR LAS QUE ESTOY ORANDO:

Meditaciones de Noche

A. ¿CÓMO FUE TU DÍA HOY?

B. ¿CÓMO TE MINISTRÓ EL SEÑOR HOY?

C. ¿CUÁL FUE LA PARTE MÁS DESAFIANTE DEL DÍA?

D. ¿QUÉ ESPERAS PARA MAÑANA?

Notas

_____

_____

_____

_____

_____

_____

_____

_____

_____

_____

_____

_____

_____

_____

_____

_____

_____

"El valor es contagioso. Cuando un hombre valiente se pone de pie, las espinas de otros se endurecen a menudo" Billy Graham

Reflexión del fin de Semana 1

i. ¿CÓMO TE HABLÓ EL SEÑOR ESTA SEMANA?

ii. ¿QUÉ HAS APRENDIDO ESTA SEMANA ACERCA DE TI MISMO Y ACERCA DE DIOS?

iii. ¿CUÁL ES TU VERSÍCULO BÍBLICO FAVORITO DE LA SEMANA?

Discusión en Grupo

Escoja una de las 5 escrituras de esta semana y conteste las siguientes preguntas.

a) ¿QUÉ DICE? ¿QUÉ NOTAS? ¿QUÉ PALABRAS O IDEAS TE DESTACAN?

b) ¿CÓMO PUEDES APLICAR ESTO HOY? ¿CÓMO PUEDES VIVIR A LA LUZ DE ESTA VERDAD?

c) DE ACUERDO CON LAS ESCRITURAS, ¿QUIÉN ERES TÚ EN CRISTO? ¿CÓMO TE DESAFÍA A SER VALIENTE?

Oración. Pídale al Señor que le ayude a creer y a vivir las Escrituras. Permita que le ministre, así que escuche y tome notas.

Cualidad 1.
Hombres Valientes Siguen a Cristo

Lo más valiente que puedes hacer como hombre es seguir a Cristo. En la Biblia, Jesús estaba constantemente llamando a la gente a seguirlo. Hoy, su mensaje es el mismo: "Sígueme". Es fácil decir "Creo en Jesús", pero ¿qué significa realmente ser un seguidor de Cristo? ¿Cómo podemos saberlo con certeza? La respuesta se encuentra en la Biblia.

Aquí hay 6 comportamientos que describen a un verdadero seguidor de Cristo.

1) Él ama. Cuando Jesús estaba hablando a sus discípulos, les dijo: "Por esto, todas las personas sabrán que ustedes son mis discípulos, si se aman los unos a los otros" (Juan 13:35, Marcos 12:31).

2) Te has arrepentido, has entregado tu corazón a Cristo y crees en el Evangelio. En Marcos 1:15, Jesús dijo: "... el reino de Dios está cerca; arrepentirse y creer en el Evangelio". El arrepentimiento significa que eres consciente de tu pecado, culpa e impotencia (Salmo 51:4-10; 109:21-22). El arrepentimiento incluye una actitud diferente hacia el pecado; es cuando odias tu pecado y te vuelves a Dios (Salmo 119:128; Job 42:5-6; 2 Corintios 7:10). El verdadero arrepentimiento abraza la misericordia de Dios en Jesucristo (Salmo 51:1; 130:4) y resulta en la búsqueda radical y persistente de

una vida santa y caminar con Dios en obediencia a sus mandamientos (2 Timoteo 2:19-22; 1 Pedro 1:16).

3) Controla tu ira y tu lenguaje. "Que toda amargura, ira, furia, clamor y calumnia sean alejados de ti, junto con toda malicia" (véase también Efesios 4:31, Colosenses 3:8 y Salmo 4:4).

4) Él sigue los mandamientos de Cristo. 1 Juan 2:3-4: "Y por esto sabemos que hemos llegado a conocerlo si guardamos sus mandamientos. Quien dice: 'Lo conozco' pero no guarda sus mandamientos es un mentiroso, y la verdad no está en él".

5) Él no es inmoral, impuro o repugnante. 1 Pedro 1:14-16: "Como hijos obedientes, no os conforméis a las pasiones de vuestra antigua ignorancia, sino que como el que os llamó es santo, también sed santos en toda vuestra conducta, como está escrito: 'Sed santos, porque yo soy santo'".

6) Él busca a Dios y a otros seguidores de Cristo. Mateo 6:33: "Pero buscad primero el reino de Dios y su justicia, y todas estas cosas os serán añadidas".

Después de leer esta lista, puedes estar pensando que es imposible servir al Señor. Y tienes razón, es imposible servir al Señor con nuestras propias fuerzas, porque somos limitados, y pecaminosos. Es cierto que no es fácil seguir a Jesús, pero no estás solo. Cristo ha enviado al Espíritu Santo para vivir en ti y ayudarte. Él también te da el poder de ser un testigo valiente. Recuerda esto: no se trata de tu perfección, sino de tu dirección. ¿En qué dirección te encaminas? Seguir a Jesús no es para cobardes (véase Juan 14:26, Hechos 1:8, 2 Corintios 12:9, y Filipenses 4:13).

Cavando Más Profundo
"Hombres Valientes Siguen a Cristo"

I.   ¿CUÁNDO ENTREGASTE TU CORAZÓN A CRISTO?

II. ¿POR QUÉ ES VALIENTE SEGUIR A CRISTO?

III. ¿CUÁL DE LOS SEIS RASGOS ES MÁS DIFÍCIL PARA TI?

Si nunca has entregado tu corazón a Cristo, hoy es el día. Si entiendes que eres un pecador y te gustaría ser salvo, y nacer de nuevo, pregúntale a Dios ahora mismo (Juan 3:16). En tus propias palabras, arrepiéntete y pídele que te perdone de tus pecados y acepta el regalo de la vida eterna. Romanos 10: 9-10. O deja que las palabras de esta oración sean tu oración:

"Querido Jesús, sé que soy un pecador y te pido perdón. Creo que moriste en una cruz por mis pecados y resucitaste de la muerte por mí. Jesús, te entrego mi corazón. Ayúdame a ser valiente y seguir tus caminos por el resto de mi vida. Gracias por tu perdón y los grandes planes que tienes para mi vida. Amén." Si dijiste esta oración sinceramente, házmelo saber.

Notas

_____

_____

_____

_____

_____

_____

_____

_____

_____

_____

_____

_____

_____

_____

_____

_____

"Sé valiente y toma riesgos. No tienes que tener todo planeado para seguir adelante." Roy T. Bennett

Diario Día 6. Fecha: _____

"Todos ustedes en conjunto son el cuerpo de Cristo, y cada uno de ustedes es parte de ese cuerpo." 1 Corintios 12:27

1. ESTOY AGRADECIDO CON DIOS POR:

2. SEGÚN LA ESCRITURA DE HOY YO ...

3. ¿CÓMO PUEDO APLICAR ESTA ESCRITURA EN MI VIDA?

4. MI ORACIÓN PARA HOY ES:

5. PERSONAS POR LAS QUE ESTOY ORANDO:

Meditaciones de Noche

A. ¿CÓMO FUE TU DÍA HOY?

B. ¿CÓMO TE MINISTRÓ EL SEÑOR HOY?

C. ¿CUÁL FUE LA PARTE MÁS DESAFIANTE
   DEL DÍA?

D. ¿QUÉ ESPERAS PARA MAÑANA?

Diario Día 7.   **Fecha:** _____

"Así también ustedes deberían considerarse muertos al poder del pecado y vivos para Dios por medio de Cristo Jesús." Romanos 6:11

1. ESTOY AGRADECIDO CON DIOS POR:

2. SEGÚN LA ESCRITURA DE HOY YO ...

3. ¿CÓMO PUEDO APLICAR ESTA ESCRITURA EN MI VIDA?

4. MI ORACIÓN PARA HOY ES:

5. PERSONAS POR LAS QUE ESTOY ORANDO:

Meditaciones de Noche

A. ¿CÓMO FUE TU DÍA HOY?

B. ¿CÓMO TE MINISTRÓ EL SEÑOR HOY?

C. ¿CUÁL FUE LA PARTE MÁS DESAFIANTE
   DEL DÍA?

D. ¿QUÉ ESPERAS PARA MAÑANA?

"Esto significa que todo el que pertenece a Cristo se ha convertido en una persona nueva. La vida antigua ha pasado; ¡una nueva vida ha comenzado."
2 Corintios 5:17

1. ESTOY AGRADECIDO CON DIOS POR:

2. SEGÚN LA ESCRITURA DE HOY YO ...

3. ¿CÓMO PUEDO APLICAR ESTA ESCRITURA EN MI VIDA?

4. MI ORACIÓN PARA HOY ES:

5. PERSONAS POR LAS QUE ESTOY ORANDO:

Meditaciones de Noche

A. ¿CÓMO FUE TU DÍA HOY?

B. ¿CÓMO TE MINISTRÓ EL SEÑOR HOY?

C. ¿CUÁL FUE LA PARTE MÁS DESAFIANTE DEL DÍA?

D. ¿QUÉ ESPERAS PARA MAÑANA?

Diario Día 9.   **Fecha:** _____

"No temas ni te desalientes, porque el propio Señor
irá delante de ti. Él estará contigo; no te fallará ni
te abandonará" Deuteronomio 31:6

1. ESTOY AGRADECIDO CON DIOS POR:

2. SEGÚN LA ESCRITURA DE HOY YO ...

3. ¿CÓMO PUEDO APLICAR ESTA ESCRITURA
   EN MI VIDA?

4. MI ORACIÓN PARA HOY ES:

5. PERSONAS POR LAS QUE ESTOY ORANDO:

Meditaciones de Noche

A. ¿CÓMO FUE TU DÍA HOY?

B. ¿CÓMO TE MINISTRÓ EL SEÑOR HOY?

C. ¿CUÁL FUE LA PARTE MÁS DESAFIANTE DEL DÍA?

D. ¿QUÉ ESPERAS PARA MAÑANA?

Diario Día 10.   **Fecha:** _____

"Ningún poder en las alturas ni en las profundidades, de hecho, nada en toda la creación podrá jamás separarnos del amor de Dios, que está revelado en Cristo Jesús nuestro Señor."
Romanos 8:39

1. ESTOY AGRADECIDO CON DIOS POR:

2. SEGÚN LA ESCRITURA DE HOY YO ...

3. ¿CÓMO PUEDO APLICAR ESTA ESCRITURA EN MI VIDA?

4. MI ORACIÓN PARA HOY ES:

5. PERSONAS POR LAS QUE ESTOY ORANDO:

Meditaciones de Noche

A. ¿CÓMO FUE TU DÍA HOY?

B. ¿CÓMO TE MINISTRÓ EL SEÑOR HOY?

C. ¿CUÁL FUE LA PARTE MÁS DESAFIANTE DEL DÍA?

D. ¿QUÉ ESPERAS PARA MAÑANA?

Reflexión del fin de Semana 2

i.¿CÓMO TE HABLÓ EL SEÑOR ESTA
   SEMANA?

ii.¿QUÉ HAS APRENDIDO ESTA SEMANA
   ACERCA DE TI MISMO Y ACERCA DE
   DIOS?

iii.¿CUÁL ES TU VERSÍCULO BÍBLICO
    FAVORITO DE LA SEMANA?

Discusión en Grupo

Escoja una de las 5 escrituras de esta semana y conteste las siguientes preguntas.

a) ¿QUÉ DICE? ¿QUÉ NOTAS? ¿QUÉ PALABRAS O IDEAS TE DESTACAN?

b) ¿CÓMO PUEDES APLICAR ESTO HOY? ¿CÓMO PUEDES VIVIR A LA LUZ DE ESTA VERDAD? ¿CÓMO SE PUEDE APLICAR A TU VIDA?

c) DE ACUERDO CON LAS ESCRITURAS, ¿QUIÉN ERES TÚ EN CRISTO? ¿CÓMO TE DESAFÍA A SER VALIENTE?

Oración. Pídale al Señor que le ayude a creer y a vivir las Escrituras. Permita que le ministre, así que escuche y tome notas.

Cualidad 2.
Hombres Valientes Conocen la Verdad

¿Puedes manejar la verdad?

Tú puedes estar equivocado en muchas áreas de la vida, pero las consecuencias son mucho más importantes cuando se trata de fe y de religión. La eternidad es mucho tiempo para equivocarse. ¿Conoces la verdad?

La verdad puede doler por un tiempo, pero una mentira duele mucho más. Los hombres valientes no se apartan de la verdad; por el contrario, se enfrentan a ella.

La verdad es constante, confiable e inmutable. La verdad siempre prevalece. La verdad es la autoexpresión de Dios. La verdad te hará libre (Juan 8:32). Sin verdad, no hay libertad, justicia o amor (1 Corintios 13:5-6). Jesús dijo que él es la verdad (Juan 14:6) y luego validó esta asombrosa declaración al resucitar de entre los muertos (Romanos 1:4).

Los hombres valientes saben que la Palabra de Dios es verdad (Juan 17:17). La verdad proporciona dirección (1 Pedro 1:15), protección (2 Timoteo 2:15) y madura la fe de los hombres (Efesios 4:14). Los hombres valientes saben cómo manejar la verdad (2 Timoteo 2:15).

Cavando Más Profundo
"Los Hombres Valientes Conocen la Verdad"

I. ¿QUÉ ES LA VERDAD?

II. ¿QUÉ HACE LA VERDAD POR TI?

III. ¿CÓMO ES JESÚS LA VERDAD?

Notas

_____

_____

_____

_____

_____

_____

_____

_____

_____

_____

_____

_____

_____

_____

_____

_____

"No se puede llegar al valor sin caminar a través de la vulnerabilidad"
Brene Brown

Diario Día 11.   **Fecha:** _____

"Aun cuando yo pase por el valle más oscuro, no temeré, porque tú estás a mi lado. Tu vara y tu cayado me protegen y me confortan." Salmos 23: 4

1. ESTOY AGRADECIDO CON DIOS POR:

2. SEGÚN LA ESCRITURA DE HOY YO ...

3. ¿CÓMO PUEDO APLICAR ESTA ESCRITURA EN MI VIDA?

4. MI ORACIÓN PARA HOY ES:

5. PERSONAS POR LAS QUE ESTOY ORANDO:

Meditaciones de Noche

A. ¿CÓMO FUE TU DÍA HOY?

B. ¿CÓMO TE MINISTRÓ EL SEÑOR HOY?

C. ¿CUÁL FUE LA PARTE MÁS DESAFIANTE DEL DÍA?

D. ¿QUÉ ESPERAS PARA MAÑANA?

Diario Día 12.   **Fecha:** _____

"Pues Dios hizo que Cristo, quien nunca pecó, fuera la ofrenda por nuestro pecado, para que nosotros pudiéramos estar en una relación correcta con Dios por medio de Cristo." 2 Corintios 5:21

1. ESTOY AGRADECIDO CON DIOS POR:

2. SEGÚN LA ESCRITURA DE HOY YO ...

3. ¿CÓMO PUEDO APLICAR ESTA ESCRITURA EN MI VIDA?

4. MI ORACIÓN PARA HOY ES:

5. PERSONAS POR LAS QUE ESTOY ORANDO:

Meditaciones de Noche

A. ¿CÓMO FUE TU DÍA HOY?

B. ¿CÓMO TE MINISTRÓ EL SEÑOR HOY?

C. ¿CUÁL FUE LA PARTE MÁS DESAFIANTE DEL DÍA?

D. ¿QUÉ ESPERAS PARA MAÑANA?

"Por lo tanto, ya no hay condenación para los que pertenecen a Cristo Jesús." Romanos 8:1

1. ESTOY AGRADECIDO CON DIOS POR:

2. SEGÚN LA ESCRITURA DE HOY YO ...

3. ¿CÓMO PUEDO APLICAR ESTA ESCRITURA EN MI VIDA?

4. MI ORACIÓN PARA HOY ES:

5. PERSONAS POR LAS QUE ESTOY ORANDO:

Meditaciones de Noche

A. ¿CÓMO FUE TU DÍA HOY?

B. ¿CÓMO TE MINISTRÓ EL SEÑOR HOY?

C. ¿CUÁL FUE LA PARTE MÁS DESAFIANTE
DEL DÍA?

D. ¿QUÉ ESPERAS PARA MAÑANA?

Fecha: _____

"Pero ahora, oh Jacob, escucha al Señor, quien te creó. Oh Israel, el que te formó dice: «No tengas miedo, porque he pagado tu rescate; te he llamado por tu nombre; eres mío." Isaías 43:1

1. ESTOY AGRADECIDO CON DIOS POR:

2. SEGÚN LA ESCRITURA DE HOY YO ...

3. ¿CÓMO PUEDO APLICAR ESTA ESCRITURA EN MI VIDA?

4. MI ORACIÓN PARA HOY ES:

5. PERSONAS POR LAS QUE ESTOY ORANDO:

Meditaciones de Noche

A. ¿CÓMO FUE TU DÍA HOY?

B. ¿CÓMO TE MINISTRÓ EL SEÑOR HOY?

C. ¿CUÁL FUE LA PARTE MÁS DESAFIANTE DEL DÍA?

D. ¿QUÉ ESPERAS PARA MAÑANA?

Fecha: _____

"Por lo tanto, ya que fuimos hechos justos a los ojos de Dios por medio de la fe, tenemos paz con Dios gracias a lo que Jesucristo nuestro Señor hizo por nosotros." Romanos 5:1

1. ESTOY AGRADECIDO CON DIOS POR:

2. SEGÚN LA ESCRITURA DE HOY YO ...

3. ¿CÓMO PUEDO APLICAR ESTA ESCRITURA EN MI VIDA?

4. MI ORACIÓN PARA HOY ES:

5. PERSONAS POR LAS QUE ESTOY ORANDO:

Meditaciones de Noche

A. ¿CÓMO FUE TU DÍA HOY?

B. ¿CÓMO TE MINISTRÓ EL SEÑOR HOY?

C. ¿CUÁL FUE LA PARTE MÁS DESAFIANTE DEL DÍA?

D. ¿QUÉ ESPERAS PARA MAÑANA?

Notas

_____

_____

_____

_____

_____

_____

_____

_____

_____

_____

_____

_____

_____

_____

_____

_____

"Las personas más fuertes encuentran el valor para ayudar a los demás, incluso si están atravesando su propia tormenta." Roy T. Bennett

Reflexión del fin de Semana 3

i. ¿CÓMO TE HABLÓ EL SEÑOR ESTA SEMANA?

ii. ¿QUÉ HAS APRENDIDO ESTA SEMANA ACERCA DE TI MISMO Y ACERCA DE DIOS?

iii. ¿CUÁL ES TU VERSÍCULO BÍBLICO FAVORITO DE LA SEMANA?

Discusión en Grupo

Escoja una de las 5 escrituras de esta semana y conteste las siguientes preguntas.

a) ¿QUÉ DICE? ¿QUÉ NOTAS? ¿QUÉ PALABRAS O IDEAS TE DESTACAN?

b) ¿CÓMO PUEDES APLICAR ESTO HOY? ¿CÓMO PUEDES VIVIR A LA LUZ DE ESTA VERDAD? ¿CÓMO SE PUEDE APLICAR A TU VIDA?

c) DE ACUERDO CON LAS ESCRITURAS, ¿QUIÉN ERES TÚ EN CRISTO? ¿CÓMO TE DESAFÍA A SER VALIENTE?

Oración. Pídale al Señor que le ayude a creer y a vivir las Escrituras. Permita que le ministre, así que escuche y tome notas.

Cualidad 3.
Hombres Valientes Aman a sus Esposas

Si no estás casado, enamórate de
Cristo. Desarrolla amistades y disfruta
de tu libertad. Aprende a ser feliz tal
como eres. Si no estás contento
estando soltero, el matrimonio no
resolverá tu problema.

Un hombre valiente trata a su esposa excepcionalmente bien.
Él reconoce que su esposa es su gloria y corona (1. Corintios
11:7, Proverbios 12:4). No se burla de su esposa y no discute en
público, sino que es paciente y amable. Él valora su matrimonio
y su familia y tiene el hábito de orar junto con su esposa e hijos
(Tito 2:12).

Los hombres valientes no ignoran su matrimonio; por el
contrario, lo priorizan justo después de su amor por Dios.
Ponen a Dios primero, luego su matrimonio, hijos, ministerio y
luego todo lo demás (Filipenses 2:3-4). Los hombres valientes
mejoran continuamente sus habilidades de comunicación
marital y alientan a sus esposas a crecer como individuos (1
Pedro 3:7, Efesios 5 y Proverbios 31). Los hombres valientes
tienen visión por su familia. Esa visión los ayuda a controlar su
enojo, a alcanzar metas y los guía en sus decisiones.

Los hombres valientes saben que la inmoralidad afectará
negativamente su matrimonio. Por lo tanto, protegen sus
mentes e invierten estratégicamente en su relación. Un hombre
valiente lucha por su familia y sabe que siempre hay esperanza
(Mateo 19:36). Me gusta lo que D. L. Moody dijo: "Si quisiera
averiguar si un hombre es cristiano, no le preguntaría a su
ministro. En cambio, le preguntaría a su esposa".

Cavando Más Profundo
"Los Hombres Valientes Aman a Sus Esposas"

I. SOLTEROS, ¿CUÁL ES TU ¿BENEFICIO FAVORITO DE SER SOLTERO? SI DESEAS CASARTE, ¿CÓMO TE ESTÁS PREPARANDO?

II. ¿CÓMO DEBE UN HOMBRE INVERTIR EN SU MATRIMONIO?

III. ¿POR QUÉ EL MATRIMONIO ES MÁS IMPORTANTE QUE CUALQUIER TRABAJO, CARRERA, PASATIEMPO O MINISTERIO?

IV. ¿CÓMO PUEDES SERVIR MÁS QUE A TU CÓNYUGE?

V. ¿CÓMO LUCHAS POR TU FAMILIA?

Notas

_____

_____

_____

_____

_____

_____

_____

_____

_____

_____

_____

_____

_____

_____

_____

_____

_____

"El hombre no puede descubrir nuevos océanos a menos que tenga el valor de perder de vista la orilla." Andre Gide

Diario Día 16.   Fecha: _____

"Así que somos embajadores de Cristo; Dios hace su llamado por medio de nosotros ..."
2 Corintios 5:20

1. ESTOY AGRADECIDO CON DIOS POR:

2. SEGÚN LA ESCRITURA DE HOY YO ...

3. ¿CÓMO PUEDO APLICAR ESTA ESCRITURA EN MI VIDA?

4. MI ORACIÓN PARA HOY ES:

5. PERSONAS POR LAS QUE ESTOY ORANDO:

Meditaciones de Noche

A. ¿CÓMO FUE TU DÍA HOY?

B. ¿CÓMO TE MINISTRÓ EL SEÑOR HOY?

C. ¿CUÁL FUE LA PARTE MÁS DESAFIANTE DEL DÍA?

D. ¿QUÉ ESPERAS PARA MAÑANA?

Diario Día 17.   Fecha: _____

"Miren con cuánto amor nos ama nuestro Padre que nos llama sus hijos, ¡y eso es lo que somos ... "
1 Juan 3:1

1. ESTOY AGRADECIDO CON DIOS POR:

2. SEGÚN LA ESCRITURA DE HOY YO ...

3. ¿CÓMO PUEDO APLICAR ESTA ESCRITURA EN MI VIDA?

4. MI ORACIÓN PARA HOY ES:

5. PERSONAS POR LAS QUE ESTOY ORANDO:

Meditaciones de Noche

A. ¿CÓMO FUE TU DÍA HOY?

B. ¿CÓMO TE MINISTRÓ EL SEÑOR HOY?

C. ¿CUÁL FUE LA PARTE MÁS DESAFIANTE DEL DÍA?

D. ¿QUÉ ESPERAS PARA MAÑANA?

"Pues somos la obra maestra de Dios. Él nos creó de nuevo en Cristo Jesús, a fin de que hagamos las cosas buenas que preparó para nosotros tiempo atrás" Efesios 2:10

1. ESTOY AGRADECIDO CON DIOS POR:

2. SEGÚN LA ESCRITURA DE HOY YO ...

3. ¿CÓMO PUEDO APLICAR ESTA ESCRITURA EN MI VIDA?

4. MI ORACIÓN PARA HOY ES:

5. PERSONAS POR LAS QUE ESTOY ORANDO:

Meditaciones de Noche

A. ¿CÓMO FUE TU DÍA HOY?

B. ¿CÓMO TE MINISTRÓ EL SEÑOR HOY?

C. ¿CUÁL FUE LA PARTE MÁS DESAFIANTE
DEL DÍA?

D. ¿QUÉ ESPERAS PARA MAÑANA?

Diario Día 19.   Fecha: _____

"No se dan cuenta de que su cuerpo es el templo del Espíritu Santo, quien vive en ustedes y les fue dado por Dios? Ustedes no se pertenecen a sí mismos"
1 Corintios 6:19

1. ESTOY AGRADECIDO CON DIOS POR:

2. SEGÚN LA ESCRITURA DE HOY YO ...

3. ¿CÓMO PUEDO APLICAR ESTA ESCRITURA EN MI VIDA?

4. MI ORACIÓN PARA HOY ES:

5. PERSONAS POR LAS QUE ESTOY ORANDO:

Meditaciones de Noche

A. ¿CÓMO FUE TU DÍA HOY?

B. ¿CÓMO TE MINISTRÓ EL SEÑOR HOY?

C. ¿CUÁL FUE LA PARTE MÁS DESAFIANTE DEL DÍA?

D. ¿QUÉ ESPERAS PARA MAÑANA?

Diario Día 20.   Fecha: _____

"Tú creaste las delicadas partes internas de mi cuerpo y me entretejiste en el vientre de mi madre. ¡Gracias por hacerme tan maravillosamente complejo!" Salmos 139:13-14.

1. ESTOY AGRADECIDO CON DIOS POR:

2. SEGÚN LA ESCRITURA DE HOY YO ...

3. ¿CÓMO PUEDO APLICAR ESTA ESCRITURA EN MI VIDA?

4. MI ORACIÓN PARA HOY ES:

5. PERSONAS POR LAS QUE ESTOY ORANDO:

Meditaciones de Noche

A. ¿CÓMO FUE TU DÍA HOY?

B. ¿CÓMO TE MINISTRÓ EL SEÑOR HOY?

C. ¿CUÁL FUE LA PARTE MÁS DESAFIANTE DEL DÍA?

D. ¿QUÉ ESPERAS PARA MAÑANA?

Notas

_____

_____

_____

_____

_____

_____

_____

_____

_____

_____

_____

_____

_____

_____

_____

"El valor es estar muerto de miedo…y ensillándose de todos modos."
"John Wayne

Reflexión del fin de Semana 4

i. ¿CÓMO TE HABLÓ EL SEÑOR ESTA SEMANA?

ii. ¿QUÉ HAS APRENDIDO ESTA SEMANA ACERCA DE TI MISMO Y ACERCA DE DIOS?

iii. ¿CUÁL ES TU VERSÍCULO BÍBLICO FAVORITO DE LA SEMANA?

Discusión en Grupo

Escoja una de las 5 escrituras de esta semana y conteste las siguientes preguntas.

a. ¿QUÉ DICE? ¿QUÉ NOTAS? ¿QUÉ PALABRAS O IDEAS TE DESTACAN?

b. ¿CÓMO PUEDES APLICAR ESTO HOY? ¿CÓMO PUEDES VIVIR A LA LUZ DE ESTA VERDAD? ¿CÓMO SE PUEDE APLICAR A TU VIDA?

c. DE ACUERDO CON LAS ESCRITURAS, ¿QUIÉN ERES TÚ EN CRISTO? ¿CÓMO TE DESAFÍA A SER VALIENTE?

Oración. Pídale al Señor que le ayude a creer y a vivir las Escrituras. Permita que le ministre, así que escuche y tome notas.

Cualidad 4.
Hombres Valientes Protegen sus Pensamientos

Los hombres valientes son cuidadosos de lo que entra en sus mentes. Entienden "BABA" (basura adentro, basura afuera). Por lo tanto, limitan la cantidad de negatividad que puede entrar en sus vidas, a través de la televisión, de las noticias, las películas, las redes sociales y sus amistades (Malaquías 2:15).

Los hombres valientes protegen sus pensamientos estando alertas, rechazando los pensamientos pecaminosos y sin fantasear con el pecado sexual. Además, piensan de manera positiva, estudian la Palabra de Dios, oran, meditan y viven una vida consagrada (Proverbios 6:23–35).

Curiosamente, incluso el mandamiento más grande revela que debemos proteger los pensamientos en nuestras mentes. "Ama al Señor tu Dios con todo tu corazón y con toda tu alma y con toda tu mente" (Mateo 22:35). La buena noticia es que Dios proporciona instrucciones sobre cómo proteger tus pensamientos en Filipenses 4:8.

Los hombres valientes dan la bienvenida a los buenos pensamientos; pero filtran, bloquean y eliminan los pensamientos negativos de inmediato (2 Timoteo 2:22, 1 Corintios 10:13).

Cavando Más Profundo
"Hombres Valientes Protejan Sus Pensamientos"

I. ¿POR QUÉ ES TAN IMPORTANTE PROTEGER LA MENTE?

II. ¿CUÁL ES LA PARTE MÁS DESAFIANTE DE PROTEGER TU MENTE?

III. ¿CÓMO BOMBARDEA EL DÍABLO TU MENTE CON IMÁGENES Y PENSAMIENTOS SEXUALES?

IV. ¿CUÁLES SON LAS TRES COSAS QUE PUEDES HACER HOY PARA PROTEGER TU MENTE CONTRA LOS PENSAMIENTOS NEGATIVOS?

Notas

_____

_____

_____

_____

_____

_____

_____

_____

_____

_____

_____

_____

_____

_____

_____

_____

"El éxito no es definitivo, el fracaso no es fatal: es el valor de continuar lo que cuenta." Winston Churchill.

¡¡¡Bien Hecho!!!

Completaste un mes en este diario de oración. Ahora estás en el punto medio. ¿Qué tienes que decirte a ti mismo? (sé amable y habla vida.)

_____

_____

_____

_____

_____

_____

_____

_____

_____

_____

"Les he dicho todo lo anterior para que en mí tengan paz. Aquí en el mundo tendrán muchas pruebas y tristezas; pero anímense (sea valiente) porque yo he vencido al mundo. Juan 16:33

Diario Día 21.   Fecha: _____

**"Sin embargo, en su gracia, Dios gratuitamente nos
hace justos a sus ojos por medio de Cristo Jesús,
quien nos liberó del castigo de nuestros pecados."
Romanos 3:24**

1. ESTOY AGRADECIDO CON DIOS POR:

2. SEGÚN LA ESCRITURA DE HOY YO ...

3. ¿CÓMO PUEDO APLICAR ESTA ESCRITURA
   EN MI VIDA?

4. MI ORACIÓN PARA HOY ES:

5. PERSONAS POR LAS QUE ESTOY ORANDO:

Meditaciones de Noche

A. ¿CÓMO FUE TU DÍA HOY?

B. ¿CÓMO TE MINISTRÓ EL SEÑOR HOY?

C. ¿CUÁL FUE LA PARTE MÁS DESAFIANTE
   DEL DÍA?

D. ¿QUÉ ESPERAS PARA MAÑANA?

"Ahora ya no eres un esclavo sino un hijo de Dios, y
como eres su hijo, Dios te ha hecho su heredero."
Gálatas 4:7

1. ESTOY AGRADECIDO CON DIOS POR:

2. SEGÚN LA ESCRITURA DE HOY YO ...

3. ¿CÓMO PUEDO APLICAR ESTA ESCRITURA
   EN MI VIDA?

4. MI ORACIÓN PARA HOY ES:

5. PERSONAS POR LAS QUE ESTOY ORANDO:

Meditaciones de Noche

A. ¿CÓMO FUE TU DÍA HOY?

B. ¿CÓMO TE MINISTRÓ EL SEÑOR HOY?

C. ¿CUÁL FUE LA PARTE MÁS DESAFIANTE
   DEL DÍA?

D. ¿QUÉ ESPERAS PARA MAÑANA?

"Ustedes son la luz del mundo, como una ciudad en lo alto de una colina que no puede esconderse".
Mateo 5:14

1. ESTOY AGRADECIDO CON DIOS POR:

2. SEGÚN LA ESCRITURA DE HOY YO ...

3. ¿CÓMO PUEDO APLICAR ESTA ESCRITURA EN MI VIDA?

4. MI ORACIÓN PARA HOY ES:

5. PERSONAS POR LAS QUE ESTOY ORANDO:

Meditaciones de Noche

A. ¿CÓMO FUE TU DÍA HOY?

B. ¿CÓMO TE MINISTRÓ EL SEÑOR HOY?

C. ¿CUÁL FUE LA PARTE MÁS DESAFIANTE
DEL DÍA?

D. ¿QUÉ ESPERAS PARA MAÑANA?

Notas

_____

_____

_____

_____

_____

_____

_____

_____

_____

_____

_____

_____

_____

_____

_____

_____

_____

"Donde hay una empresa de éxito, alguien tomó alguna vez una decisión valiente." Peter F. Drucker

Diario Día 24.   Fecha: _____

"Incluso antes de haber hecho el mundo, Dios nos amó y nos eligió en Cristo para que seamos santos e intachables a sus ojos." Efesios 1:4

1. ESTOY AGRADECIDO CON DIOS POR:

2. SEGÚN LA ESCRITURA DE HOY YO ...

3. ¿CÓMO PUEDO APLICAR ESTA ESCRITURA EN MI VIDA?

4. MI ORACIÓN PARA HOY ES:

5. PERSONAS POR LAS QUE ESTOY ORANDO:

Meditaciones de Noche

A. ¿CÓMO FUE TU DÍA HOY?

B. ¿CÓMO TE MINISTRÓ EL SEÑOR HOY?

C. ¿CUÁL FUE LA PARTE MÁS DESAFIANTE DEL DÍA?

D. ¿QUÉ ESPERAS PARA MAÑANA?

"Toda la alabanza sea para Dios, el Padre de nuestro
Señor Jesucristo, quien nos ha bendecido con toda
clase de bendiciones espirituales en los lugares
celestiales, porque estamos unidos a Cristo."
Efesios 1:3

1. ESTOY AGRADECIDO CON DIOS POR:

2. SEGÚN LA ESCRITURA DE HOY YO ...

3. ¿CÓMO PUEDO APLICAR ESTA ESCRITURA
EN MI VIDA?

4. MI ORACIÓN PARA HOY ES:

5. PERSONAS POR LAS QUE ESTOY ORANDO:

Meditaciones de Noche

A. ¿CÓMO FUE TU DÍA HOY?

B. ¿CÓMO TE MINISTRÓ EL SEÑOR HOY?

C. ¿CUÁL FUE LA PARTE MÁS DESAFIANTE DEL DÍA?

D. ¿QUÉ ESPERAS PARA MAÑANA?

Notas

_____

_____

_____

_____

_____

_____

_____

_____

_____

_____

_____

_____

_____

_____

_____

"El valor no es la ausencia de miedo, sino más bien la evaluación de que algo más es más importante que el miedo." Franklin D. Roosevelt

Reflexión del fin de Semana #5.

i. ¿CÓMO TE HABLÓ EL SEÑOR ESTA SEMANA?

ii. ¿QUÉ HAS APRENDIDO ESTA SEMANA ACERCA DE TI MISMO Y ACERCA DE DIOS?

iii. ¿CUÁL ES TU VERSÍCULO BÍBLICO FAVORITO DE LA SEMANA?

Discusión en Grupo

Escoja una de las 5 escrituras de esta semana y conteste las siguientes preguntas.

a) ¿QUÉ DICE? ¿QUÉ NOTAS? ¿QUÉ PALABRAS O IDEAS TE DESTACAN?

b) ¿CÓMO PUEDES APLICAR ESTO HOY? ¿CÓMO PUEDES VIVIR A LA LUZ DE ESTA VERDAD? ¿CÓMO SE PUEDE APLICAR A TU VIDA?

c) ¿DE ACUERDO CON LAS ESCRITURAS, ¿QUIÉN ERES TÚ EN CRISTO? ¿CÓMO TE DESAFÍA A SER VALIENTE?

Oración. Pídale al Señor que le ayude a creer y a vivir las Escrituras. Permita que le ministre, así que escuche y tome notas.

Cualidad 5.
Hombres Valientes Tienen Mentores

Los hombres valientes entienden que no lo saben todo. Así que no solo buscan a Dios, sino que también buscan mentores (otros hombres) que los ayuden a entrenarse, motivarse, que los desafíen y los alienten.

Además de proporcionar herramientas, orientación y crítica constructiva, un mentor es un modelo a seguir. Es alguien que cree en ti, que te ofrece consejos y no permitirá que te vuelvas complaciente.

Los hombres con mentores se benefician de consejos prácticos, apoyo, retroalimentación, información valiosa, así como de las experiencias de otros. Sin embargo, ten en cuenta que siempre debes ser completamente honesto para beneficiarte de un mentor, incluso cuando continúas tropezándote, tambaleándote, fracasando y, especialmente, cuando estás decepcionado contigo mismo.

Hay varios tipos de tutoría: uno a uno, desde la distancia o en un entorno grupal. Además, también puedes beneficiarte de las personas más exitosas e influyentes del mundo (en el presente y a lo largo de la historia) sin siquiera conocerlas personalmente. Todo lo que necesitas hacer es leer sus libros (Véase 2 Tesalonicenses 3:7, 1 Pedro 5:3, Tito 2:7, Lucas 6:40 y Proverbios 13:20).

Cavando Más Profundo
"Los Hombres Valientes Tienen Mentores"

I. ¿POR QUÉ SON IMPORTANTES LOS MENTORES?

II. ¿CUÁLES SON LOS OBSTÁCULOS POTENCIALES QUE PUEDEN IMPEDIR QUE LOS HOMBRES BUSQUEN UN MENTOR?

III. ¿QUIÉNES SON TUS MENTORES? ¿QUIÉN ESTÁ TRABAJANDO CONTIGO?

Notas

"El miedo es una reacción, el valor es una decisión." Winston Churchhill

"En cambio, nosotros somos ciudadanos del cielo, donde vive el Señor Jesucristo; y esperamos con mucho anhelo que él regrese como nuestro Salvador." Filipenses 3:20

1. ESTOY AGRADECIDO CON DIOS POR:

2. SEGÚN LA ESCRITURA DE HOY YO ...

3. ¿CÓMO PUEDO APLICAR ESTA ESCRITURA EN MI VIDA?

4. MI ORACIÓN PARA HOY ES:

5. PERSONAS POR LAS QUE ESTOY ORANDO:

Meditaciones de Noche

A. ¿CÓMO FUE TU DÍA HOY?

B. ¿CÓMO TE MINISTRÓ EL SEÑOR HOY?

C. ¿CUÁL FUE LA PARTE MÁS DESAFIANTE DEL DÍA?

D. ¿QUÉ ESPERAS PARA MAÑANA?

Diario Día 27.   Fecha: _____

"Pues él nos rescató del reino de la oscuridad y nos trasladó al reino de su Hijo amado, quien compró nuestra libertad y perdonó nuestros pecados."
Colosenses 1:13-14

1. ESTOY AGRADECIDO CON DIOS POR:

2. SEGÚN LA ESCRITURA DE HOY YO ...

3. ¿CÓMO PUEDO APLICAR ESTA ESCRITURA EN MI VIDA?

4. MI ORACIÓN PARA HOY ES:

5. PERSONAS POR LAS QUE ESTOY ORANDO:

Meditaciones de Noche

A.¿CÓMO FUE TU DÍA HOY?

B.¿CÓMO TE MINISTRÓ EL SEÑOR HOY?

C.¿CUÁL FUE LA PARTE MÁS DESAFIANTE DEL DÍA?

D. ¿QUÉ ESPERAS PARA MAÑANA?

Diario Día 28.   Fecha: _____

"... porque son fuertes; la palabra de Dios vive en sus corazones, y han ganado la batalla contra el maligno." 1 Juan 2:14

1. ESTOY AGRADECIDO CON DIOS POR:

2. SEGÚN LA ESCRITURA DE HOY YO ...

3. ¿CÓMO PUEDO APLICAR ESTA ESCRITURA EN MI VIDA?

4. MI ORACIÓN PARA HOY ES:

5. PERSONAS POR LAS QUE ESTOY ORANDO:

Meditaciones de Noche

A. ¿CÓMO FUE TU DÍA HOY?

B. ¿CÓMO TE MINISTRÓ EL SEÑOR HOY?

C. ¿CUÁL FUE LA PARTE MÁS DESAFIANTE DEL DÍA?

D. ¿QUÉ ESPERAS PARA MAÑANA?

Diario Día 29.   Fecha: _____

"Ya que este nuevo camino nos da tal confianza,
podemos ser muy valientes." 2 Corintios 3:12

1. ESTOY AGRADECIDO CON DIOS POR:

2. SEGÚN LA ESCRITURA DE HOY YO ...

3. ¿CÓMO PUEDO APLICAR ESTA ESCRITURA
   EN MI VIDA?

4. MI ORACIÓN PARA HOY ES:

5. PERSONAS POR LAS QUE ESTOY ORANDO:

Meditaciones de Noche

A. ¿CÓMO FUE TU DÍA HOY?

B. ¿CÓMO TE MINISTRÓ EL SEÑOR HOY?

C. ¿CUÁL FUE LA PARTE MÁS DESAFIANTE DEL DÍA?

D. ¿QUÉ ESPERAS PARA MAÑANA?

Diario Día 30.   Fecha: _____

"Pero él fue traspasado por nuestras rebeliones
y aplastado por nuestros pecados. Fue golpeado
para que nosotros estuviéramos en paz; fue azotado
para que pudiéramos ser sanados."
Isaías 53:5

1. ESTOY AGRADECIDO CON DIOS POR:

2. SEGÚN LA ESCRITURA DE HOY YO ...

3. ¿CÓMO PUEDO APLICAR ESTA ESCRITURA
   EN MI VIDA?

4. MI ORACIÓN PARA HOY ES:

5. PERSONAS POR LAS QUE ESTOY ORANDO:

Meditaciones de Noche

A. ¿CÓMO FUE TU DÍA HOY?

B. ¿CÓMO TE MINISTRÓ EL SEÑOR HOY?

C. ¿CUÁL FUE LA PARTE MÁS DESAFIANTE
DEL DÍA?

D. ¿QUÉ ESPERAS PARA MAÑANA?

Notas

_____

_____

_____

_____

_____

_____

_____

_____

_____

_____

_____

_____

_____

_____

_____

_____

_____

"El valor es el miedo aguantando un minuto más." General Patton

Reflexión del fin de Semana 6

i. ¿CÓMO TE HABLÓ EL SEÑOR ESTA SEMANA?

ii. ¿QUÉ HAS APRENDIDO ESTA SEMANA ACERCA DE TI MISMO Y ACERCA DE DIOS?

iii. ¿CUÁL ES TU VERSÍCULO BÍBLICO FAVORITO DE LA SEMANA?

Discusión en Grupo

Escoja una de las 5 escrituras de esta semana y conteste las siguientes preguntas.

a) ¿QUÉ DICE? ¿QUÉ NOTAS? ¿QUÉ PALABRAS O IDEAS TE DESTACAN?

b) ¿CÓMO PUEDES APLICAR ESTO HOY? ¿CÓMO PUEDES VIVIR A LA LUZ DE ESTA VERDAD? ¿CÓMO SE PUEDE APLICAR A TU VIDA?

c) ¿DE ACUERDO CON LAS ESCRITURAS, ¿QUIÉN ERES TÚ EN CRISTO? ¿CÓMO TE DESAFÍA A SER VALIENTE?

Oración. Pídale al Señor que le ayude a creer y a vivir las Escrituras. Permita que le ministre, así que escuche y tome notas.

Cualidad 6.
Hombres Valientes Sirven con Entusiasmo

Los hombres valientes no tienen miedo de servir a la gente. Por el contrario, los hombres valientes buscan oportunidades para servir a las personas. Los hombres valientes están dispuestos a preguntar a cualquiera, en cualquier momento: ¿Cómo puedo ayudarte?, ¿qué puedo hacer por ti?".

Los hombres valientes se preguntan: ¿Cómo estoy sirviendo a los demás?, ¿cuándo fue la última vez que ayudé a alguien? Algunas personas sirven porque hay otros que los están mirando o lo hacen para tener visibilidad en sus redes sociales. Jesús enseñó a sus discípulos que la grandeza se encuentra en el servicio (Mateo 20:25). Incluso Cristo, el salvador del mundo, se refiere a sí mismo como a un siervo.

Comienza con una actitud de gratitud y deja que Cristo brille a través de ti. Cuando sirves a la gente, tu influencia crece. Cuando tienes esta actitud, el entusiasmo, el celo y el gozo se hacen evidentes (Marcos 10:45).

Además, servir con sincero entusiasmo y pasión es contagioso. Atraerás a la gente a tu proyecto, a tu equipo y a tu causa. "No sean nunca perezosos, más bien trabajen con esmero y sirvan al Señor con entusiasmo" (Romanos 12:11, Mateo 20:26-28, Juan 13:12-17 y Filipenses 2:3-4).

Cavando Más Profundo
"Hombres Valientes Sirven Con Entusiasmo"

I. ¿POR QUÉ ES DIFÍCIL PARA ALGUNOS HOMBRES SERVIR CON ENTUSIASMO?

II. ¿CÓMO ES CRISTO UN EXCELENTE EJEMPLO DE SIERVO?

III. ¿QUÉ ES LO MÁS DESAFIANTE PARA USTED CUANDO SIRVE A LAS PERSONAS?

Notas

_____

_____

_____

_____

_____

_____

_____

_____

_____

_____

_____

_____

_____

_____

_____

"El valor es hacer lo que usted tiene miedo de hacer. No puede haber valor a menos que tengas miedo." Eddie Rickenbacker

Diario Día 31.   Fecha: _____

"Dios decidió de antemano adoptarnos como miembros de su familia al acercarnos a sí mismo por medio de Jesucristo. Eso es precisamente lo que él quería hacer, y le dio gran gusto hacerlo."
Efesios 1:5

1. ESTOY AGRADECIDO CON DIOS POR:

2. SEGÚN LA ESCRITURA DE HOY YO ...

3. ¿CÓMO PUEDO APLICAR ESTA ESCRITURA EN MI VIDA?

4. MI ORACIÓN PARA HOY ES:

5. PERSONAS POR LAS QUE ESTOY ORANDO:

Meditaciones de Noche

A. ¿CÓMO FUE TU DÍA HOY?

B. ¿CÓMO TE MINISTRÓ EL SEÑOR HOY?

C. ¿CUÁL FUE LA PARTE MÁS DESAFIANTE DEL DÍA?

D. ¿QUÉ ESPERAS PARA MAÑANA?

Diario Día 32.   Fecha: _____

"La salvación no es un premio ... somos la obra
maestra de Dios. Él nos creó de nuevo en Cristo
Jesús, a fin de que hagamos las cosas buenas que
preparó para nosotros tiempo atrás."
Efesios 2:9-10

1. ESTOY AGRADECIDO CON DIOS POR:

2. SEGÚN LA ESCRITURA DE HOY YO ...

3. ¿CÓMO PUEDO APLICAR ESTA ESCRITURA
EN MI VIDA?

4. MI ORACIÓN PARA HOY ES:

5. PERSONAS POR LAS QUE ESTOY ORANDO:

Meditaciones de Noche

A. ¿CÓMO FUE TU DÍA HOY?

B. ¿CÓMO TE MINISTRÓ EL SEÑOR HOY?

C. ¿CUÁL FUE LA PARTE MÁS DESAFIANTE DEL DÍA?

D. ¿QUÉ ESPERAS PARA MAÑANA?

**"Pues ustedes han muerto a esta vida, y su verdadera vida está escondida con Cristo en Dios."
Colosenses 3:3**

1. ESTOY AGRADECIDO CON DIOS POR:

2. SEGÚN LA ESCRITURA DE HOY YO ...

3. ¿CÓMO PUEDO APLICAR ESTA ESCRITURA EN MI VIDA?

4. MI ORACIÓN PARA HOY ES:

5. PERSONAS POR LAS QUE ESTOY ORANDO:

Meditaciones de Noche

A. ¿CÓMO FUE TU DÍA HOY?

B. ¿CÓMO TE MINISTRÓ EL SEÑOR HOY?

C. ¿CUÁL FUE LA PARTE MÁS DESAFIANTE
DEL DÍA?

D. ¿QUÉ ESPERAS PARA MAÑANA?

Diario Día 34.   Fecha: _____

"Claro que no, a pesar de todas estas cosas, nuestra victoria es absoluta por medio de Cristo, quien nos amó." Romanos 8:37

1. ESTOY AGRADECIDO CON DIOS POR:

2. SEGÚN LA ESCRITURA DE HOY YO ...

3. ¿CÓMO PUEDO APLICAR ESTA ESCRITURA EN MI VIDA?

4. MI ORACIÓN PARA HOY ES:

5. PERSONAS POR LAS QUE ESTOY ORANDO:

Meditaciones de Noche

A. ¿CÓMO FUE TU DÍA HOY?

B. ¿CÓMO TE MINISTRÓ EL SEÑOR HOY?

C. ¿CUÁL FUE LA PARTE MÁS DESAFIANTE
   DEL DÍA?

D. ¿QUÉ ESPERAS PARA MAÑANA?

Diario Día 35.   Fecha: _____

"Ciertamente, yo soy la vid; ustedes son las ramas.
Los que permanecen en mí y yo en ellos producirán
mucho fruto porque, separados de mí, no pueden
hacer nada." Juan 15:5

1. ESTOY AGRADECIDO CON DIOS POR:

2. SEGÚN LA ESCRITURA DE HOY YO ...

3. ¿CÓMO PUEDO APLICAR ESTA ESCRITURA
   EN MI VIDA?

4. MI ORACIÓN PARA HOY ES:

5. PERSONAS POR LAS QUE ESTOY ORANDO:

Meditaciones de Noche

A. ¿CÓMO FUE TU DÍA HOY?

B. ¿CÓMO TE MINISTRÓ EL SEÑOR HOY?

C. ¿CUÁL FUE LA PARTE MÁS DESAFIANTE
DEL DÍA?

D. ¿QUÉ ESPERAS PARA MAÑANA?

Notas

_____

_____

_____

_____

_____

_____

_____

_____

_____

_____

_____

_____

_____

_____

_____

_____

_____

_____

"El valor es el miedo que ha dicho sus oraciones." Karle Wilson Baker

Reflexión del fin de Semana 7

i. ¿CÓMO TE HABLÓ EL SEÑOR ESTA
SEMANA?

ii. ¿QUÉ HAS APRENDIDO ESTA SEMANA
ACERCA DE TI MISMO Y ACERCA DE DIOS?

iii. ¿CUÁL ES TU VERSÍCULO BÍBLICO
FAVORITO DE LA SEMANA?

Discusión en Grupo

Escoja una de las 5 escrituras de esta semana y conteste las siguientes preguntas.

a) ¿QUÉ DICE? ¿QUÉ NOTAS? ¿QUÉ PALABRAS O IDEAS TE DESTACAN?

b) ¿CÓMO PUEDES APLICAR ESTO HOY? ¿CÓMO PUEDES VIVIR A LA LUZ DE ESTA VERDAD? ¿CÓMO SE PUEDE APLICAR A TU VIDA?

c) DE ACUERDO CON LAS ESCRITURAS, ¿QUIÉN ERES TÚ EN CRISTO? ¿CÓMO TE DESAFÍA A SER VALIENTE?

Oración. Pídale al Señor que le ayude a creer y a vivir las Escrituras. Permita que le ministre, así que escuche y tome notas.

Cualidad 7.
Hombres Valientes Tienen Visión

Los hombres valientes tienen
visión. Ven el panorama
general y perciben una visión
clara del futuro. Una visión
ayuda a establecer metas y
objetivos y determina lo que
es esencial y lo que no lo es.

Tu visión es la base de todo lo que haces. Tu visión te ayuda a
determinar con quién pasas tiempo, cómo respondes a
situaciones difíciles, especialmente en el matrimonio, y te
ayuda a controlar tu ira. Una visión crea energía y ayuda a
hacer un cambio positivo y progresar.

Los hombres valientes buscan a Dios para su visión e incluso le
permiten cambiar sus planes (Hechos 16:6). Una buena visión
incluye el propósito y los planes de Dios para sus vidas,
matrimonio y familia, ministerio, carrera, finanzas y
relaciones.

Cuando puedas ver, explicar, y sentir tu visión claramente,
entonces serás capaz de moverte en esa dirección. Un hombre
con visión es audaz, persistente, inclusivo, colaborativo, de
mente abierta, muy optimista, auto-inspirado y tiene un fuerte
sentido de convicción y propósito. Los hombres valientes con
visión son pensadores avanzados. Para un verdadero
visionario, hoy comenzó ayer. Cuando los hombres no tienen
una visión, terminan en desvíos, distracciones y desengaños
(Proverbios 29:18, 3: 5-6, Jeremías 29:11, Salmos 32:8-9, 37:23,
Jeremías 33:3 y Mateo 6:33).

Cavando Más Profundo
"Los Hombres Valientes Tienen Visión"

I. ¿CUÁL ES LA DIFERENCIA ENTRE UNA VISIÓN Y UNA META?

II. ¿CÓMO DESARROLLAN SU VISIÓN LOS HOMBRES VALIENTES?

III. ¿EN 1-3 ORACIONES DESCRIBE LA VISIÓN DE TU VIDA? SI ESTÁS CASADO, DESCRIBE LA VISIÓN DE TU MATRIMONIO. TU VISIÓN DEBE INSPIRARTE MÁS QUE CUALQUIER OTRA COSA O PERSONA.

Diario Día 36.   Fecha: _____

"Pues Dios no nos ha dado un espíritu de temor y timidez sino de poder, amor y autodisciplina."
2 Timoteo 1:7

1. ESTOY AGRADECIDO CON DIOS POR:

2. SEGÚN LA ESCRITURA DE HOY YO ...

3. ¿CÓMO PUEDO APLICAR ESTA ESCRITURA EN MI VIDA?

4. MI ORACIÓN PARA HOY ES:

5. PERSONAS POR LAS QUE ESTOY ORANDO:

Meditaciones de Noche

A. ¿CÓMO FUE TU DÍA HOY?

B. ¿CÓMO TE MINISTRÓ EL SEÑOR HOY?

C. ¿CUÁL FUE LA PARTE MÁS DESAFIANTE
   DEL DÍA?

D. ¿QUÉ ESPERAS PARA MAÑANA?

Diario Día 37.   Fecha: _____

"Mi antiguo yo ha sido crucificado con Cristo. Ya no vivo yo, sino que Cristo vive en mí. Así que vivo en este cuerpo terrenal confiando en el Hijo de Dios, quien me amó y se entregó a sí mismo por mí." Gálatas 2:20

1. ESTOY AGRADECIDO CON DIOS POR:

2. SEGÚN LA ESCRITURA DE HOY YO ...

3. ¿CÓMO PUEDO APLICAR ESTA ESCRITURA EN MI VIDA?

4. MI ORACIÓN PARA HOY ES:

5. PERSONAS POR LAS QUE ESTOY ORANDO:

Meditaciones de Noche

A. ¿CÓMO FUE TU DÍA HOY?

B. ¿CÓMO TE MINISTRÓ EL SEÑOR HOY?

C. ¿CUÁL FUE LA PARTE MÁS DESAFIANTE DEL DÍA?

D. ¿QUÉ ESPERAS PARA MAÑANA?

Diario Día 38.   Fecha: _____

"Mi mandato es: "¡Sé fuerte y valiente! No tengas miedo ni te desanimes, porque el Señor tu Dios está contigo dondequiera que vayas." Josué 1:9

1. ESTOY AGRADECIDO CON DIOS POR:

2. SEGÚN LA ESCRITURA DE HOY YO ...

3. ¿CÓMO PUEDO APLICAR ESTA ESCRITURA EN MI VIDA?

4. MI ORACIÓN PARA HOY ES:

5. PERSONAS POR LAS QUE ESTOY ORANDO:

Meditaciones de Noche

A. ¿CÓMO FUE TU DÍA HOY?

B. ¿CÓMO TE MINISTRÓ EL SEÑOR HOY?

C. ¿CUÁL FUE LA PARTE MÁS DESAFIANTE
DEL DÍA?

D. ¿QUÉ ESPERAS PARA MAÑANA?

Diario Día 39.   Fecha: _____

"Ya no los llamo esclavos, porque el amo no confía sus asuntos a los esclavos. Ustedes ahora son mis amigos, porque les he contado todo lo que el Padre me dijo." Juan 15:15

1. ESTOY AGRADECIDO CON DIOS POR:

2. SEGÚN LA ESCRITURA DE HOY YO ...

3. ¿CÓMO PUEDO APLICAR ESTA ESCRITURA EN MI VIDA?

4. MI ORACIÓN PARA HOY ES:

5. PERSONAS POR LAS QUE ESTOY ORANDO:

Meditaciones de Noche

A. ¿CÓMO FUE TU DÍA HOY?

B. ¿CÓMO TE MINISTRÓ EL SEÑOR HOY?

C. ¿CUÁL FUE LA PARTE MÁS DESAFIANTE DEL DÍA?

D. ¿QUÉ ESPERAS PARA MAÑANA?

Diario Día 40.   Fecha: _____

**"Entonces el ángel del Señor se le apareció y le dijo:
¡Guerrero valiente, el Señor está contigo!"
Jueces 6:12**

1. ESTOY AGRADECIDO CON DIOS POR:

2. SEGÚN LA ESCRITURA DE HOY YO ...

3. ¿CÓMO PUEDO APLICAR ESTA ESCRITURA
   EN MI VIDA?

4. MI ORACIÓN PARA HOY ES:

5. PERSONAS POR LAS QUE ESTOY ORANDO:

Meditaciones de Noche

A. ¿CÓMO FUE TU DÍA HOY?

B. ¿CÓMO TE MINISTRÓ EL SEÑOR HOY?

C. ¿CUÁL FUE LA PARTE MÁS DESAFIANTE
DEL DÍA?

D. ¿QUÉ ESPERAS PARA MAÑANA?

Notas

_____

_____

_____

_____

_____

_____

_____

_____

_____

_____

_____

_____

_____

_____

_____

_____

"Los esfuerzos y el valor no son suficientes sin propósito y dirección."
John F. Kennedy

Reflexión del fin de Semana 8

i. ¿CÓMO TE HABLÓ EL SEÑOR ESTA SEMANA?

ii. ¿QUÉ HAS APRENDIDO ESTA SEMANA ACERCA DE TI MISMO Y ACERCA DE DIOS?

iii. ¿CUÁL ES TU VERSÍCULO BÍBLICO FAVORITO DE LA SEMANA?

Discusión en Grupo

Escoja una de las 5 escrituras de esta semana y conteste las siguientes preguntas.

a) ¿QUÉ DICE? ¿QUÉ NOTAS? ¿QUÉ PALABRAS O IDEAS TE DESTACAN?

b) ¿CÓMO PUEDES APLICAR ESTO HOY? ¿CÓMO PUEDES VIVIR A LA LUZ DE ESTA VERDAD? ¿CÓMO SE PUEDE APLICAR A TU VIDA?

c) DE ACUERDO CON LAS ESCRITURAS, ¿QUIÉN ERES TÚ EN CRISTO? ¿CÓMO TE DESAFÍA A SER VALIENTE?

Oración. Pídale al Señor que le ayude a creer y a vivir las Escrituras. Permita que le ministre, así que escuche y tome notas.

Cualidad 8.
Hombres Valientes son Resilientes

Nadie pasa por la vida sin problemas, ni siquiera los hombres valientes. Todo el mundo tiene fracasos, errores, dolor, problemas y presiones. Pero las personas que lo logran en la vida tienen una cualidad muy especial y eso se llama resiliencia.

La resiliencia es la capacidad de recuperarse o adaptarse de una desgracia o un cambio significativo en la vida. La resiliencia se encuentra en las personas que pueden seguir funcionando a pesar de los desafíos de la vida.

Los hombres valientes con resiliencia han aprendido a crecer de las dificultades y seguir adelante (Filipenses 3:14). No se ofenden fácilmente, tienen una actitud positiva y vencen las dificultades y la tentación (Romanos 12:21). Perseveran frente a las pruebas (Santiago 1:12), y simplemente no pueden quedarse abajo (Prov. 24:16).

La fe en Cristo es la clave para la resiliencia. "Por todos lados nos presionan las dificultades, pero no nos aplastan. Estamos perplejos, pero no caemos en la desesperación. Somos perseguidos, pero nunca abandonados por Dios. Somos derribados, pero no destruidos." (2 Corintios 4:8–9).

Cavando Más Profundo
"Los Hombres Valientes son Resilientes"

I. ¿Cómo es que la fe en Cristo es clave para la resiliencia?

II. ¿Quién es la persona o personas más Resilientes que conoces, por qué?

III. ¿Qué puedes hacer hoy para ayudarte a ser más resiliente?

Felicidades! Terminaste.

Felicitaciones por completar el Diario de oración para hombres valientes. Es mi oración que se motiven, sean valientes y se refresquen en el Señor.

Ahora sabes que eres parte de la familia de Dios, que el Señor siempre está contigo, que nunca tienes que temer y que puedes hacer cualquier cosa con Cristo.

Comprende que tu caminar con el Señor no es una carrera; es más como un maratón (2 Timoteo 4:7, 1 Corintios 9:24). Tus sentimientos pueden cambiar de un día para otro y las noticias que escuchas pueden ser desalentadoras. Tu desafío, según Josué 1:9, es ser fuerte y valiente.

"¡Sé fuerte y valiente! No tengas miedo ni te desanimes, porque el Señor tu Dios está contigo dondequiera que vayas". Josué 1:9

Que Dios te bendiga.

Nick I. Gonzalez
NickGonzalez.com

P.D.

Entonces, ¿qué sigue? Busca un buen mentor. Demuestra amor a tu familia. Únete a una buena iglesia e involúcrate. Sé fiel, disponible y enseñable. Descubre tus dones espirituales, conviértete en un generoso dador, anima a alguien en la fe, comparte las buenas nuevas del Evangelio con un extraño y, por último, ¡espera con ansias el próximo volumen de Valiente, Diario de oración para hombres.

Bonificación #1.
¿Qué es la Oración y Por Qué Orar?

¿Qué es la oración?

A. La oración es simplemente hablar con Dios. Filipenses 4:6.

B. La oración es humillarte. 2 Crónicas 7:14.

C. La oración es la forma en que Dios nos incluye en lo que está haciendo. Mateo 6:10.

D. La oración es nuestra arma. 2 Crónicas 10:4.

E. La oración es agradable a Dios. Proverbios 15:8b.

F. La oración es lo que hacen los hombres valientes. 2 Crónicas 26:5

¿Por qué debes orar?

1. Una de las principales razones por las que oramos es porque la palabra de Dios dice que debemos orar. Dios quiere hablar contigo. Efesios 6:18, Felipe. 4:6-7, Mateo 6:5, Rom. 12:12.

2. La oración es la forma en que nos comunicamos con Dios, 2 Crónicas 7:14, Hebreos 4:15-16, Isaías 40:29-31.

3. La oración nos ayuda a resistir la tentación y nos da poder sobre el mal, Efesios 6:12, Mateo 26:41.

4. La oración proporciona fortaleza para soportar las pruebas, Lucas 22:21.

5. La oración es la manera de pedir ayuda, Mateo 9:38.

6. La oración es la cura para la preocupación y el estrés, Filipenses. 4:6.

7. La oración te ayudará a experimentar gozo. Juan 16:24.

8. La oración es lo que debes hacer antes de tomar decisiones significativas, Lucas 6:12-13.

9. Cuando necesites algo, puedes pedir en oración, Santiago 4:2.

10. La mejor parte de la oración es saber que Dios nos escucha y contesta nuestras oraciones, 1 Juan 5:14.

Bonificación #2.
Las Tres D's de la Oración

La oración es uno de los mayores privilegios que tiene un Cristiano. Pero la oración también puede ser uno de nuestros fracasos más significativos. Así que aquí están las "Tres D's de la Oración" para ayudarte a entender este increíble privilegio y evitar la decepción.

1. Primero, sepan que la oración es un DEBER.
1 Timoteo 2:8 dice: "Los hombres deben orar". A veces no tendrás ganas de orar, y eso está bien. Pero no vas a dejar que eso te detenga, ¿verdad?

2. La oración es también una DISCIPLINA.
1. Tesalonicenses 5:17 dice: "Orad sin cesar". ¿Cómo lo haces? Viviendo con una actitud de oración. Es posible que ya hayas dicho "Amén", pero sabes que tu vida es una oración al Señor. La disciplina no es divertida al principio, pero después de un tiempo, cosechas sus beneficios. Hebreos 12:11-13.

3. La oración es un DELEITE. A veces, cuando oras, se sentirá como un deber; en otras ocasiones, orarás debido a tu disciplina. ¡Pero entonces, habrá momentos en que orar se convierta en un deleite total! El Salmo 34:8 dice: "Prueben y vean que el Señor es bueno". Este tipo de oración es cuando estás en el momento con él, concentrado, disfrutando de su presencia y disfrutando de tu tiempo con el Señor. Dios es tu buen padre, y anhela que lo invites a tu vida (Romanos 8:15, Mateo 10:29-31).

Plan de Dos Meses Para Leer el Nuevo Testamento

¿Has comido pan fresco, directamente del horno o de una panadería? ¿No es delicioso? Si lo has hecho, eso es lo que experimentarás cada día cuando comiences el plan del Nuevo Testamento, excepto que el pan será espiritual y eterno. Por eso Jesús dijo en Juan 6:35 "Yo soy el pan de vida; el que venga a mí no tendrá hambre, y el que crea en mí nunca tendrá sed".

Coloque una marca de verificación junto a la Escrituras después de leer.

Día	Lectura		Día	Lectura	
Día 1	Mateo 1-5		Día 31	Hechos 19-23	
Día 2	Mateo 6-8		Día 32	Hechos 24-28	
Día 3	Mateo 9-12		Día 33	Romanos 1-5	
Día 4	Mateo 13-15		Día 34	Romanos 6-10	
Día 5	Mateo 16-20		Día 35	Romanos 11-16	
Día 6	Mateo 21-24		Día 36	1. Corintios 1-5	
Día 7	Mateo 25-28		Día 37	1. Corintios 6-11	
Día 8	Marco 1-4		Día 38	1. Corintios 12-16	
Día 9	Marcos 5-7		Día 39	2. Corintios 1-4	
Día 10	Marcos 8-10		Día 40	2. Corintios 5-9	
Día 11	Marcos 11-13		Día 41	2. Corintios 10-13	
Día 12	Marcos 14-16		Día 42	Gálatas 1-6	
Día 13	Lucas 1-3		Día 43	Efesios 1-6	
Día 14	Lucas 4-6		Día 44	Filipenses 1-4	
Día 15	Lulas 7-9		Día 45	Colosenses 1-4	
Día 16	Lucas 10-12		Día 46	1 Tesalonicenses 1-5	
Día 17	Lucas 13-16		Día 47	2 Tesalonicenses, 1 Timoteo	
Día 18	Lucas 17-20		Día 48	2 Timoteo	
Día 19	Lucas 21-24		Día 49	Tito, Filemón, Hebreos 1-3	
Día 20	Juan 1-4		Día 50	Hebreos 4-8	
Día 21	Jun 5-7		Día 51	Hebreos 9-13	
Día 22	Juan 8-10		Día 52	Santiago 1-5	
Día 23	Juan 11-13		Día 53	1 Pedro 1-5	
Día 24	Juan 14-17		Día 54	2 Pedro 1-3	
Día 25	Juan 18-21		Día 55	1 Juan, 2 Juan, 3 Juan	
Día 26	Hechos 1-4		Día 56	Judas, Apocalipsis 1-4	
Día 27	Hechos 5-7		Día 57	Apocalipsis 5-9	
Día 28	Hechos 8-11		Día 58	Apocalipsis 10-14	
Día 29	Hechos 12-14		Día 59	Apocalipsis 15-18	
Día 30	Hechos 15-18		Día 60	Apocalipsis 19-22	

Registro de "Oraciones Contestadas"

Fecha de la oración	Petición	Respuesta	Fecha de la respuesta

Registro de "Oraciones Contestadas"

Fecha de la oración	Petición	Respuesta	Fecha de la respuesta

Únete a Nosotros en Facebook

Continuemos la conversación. Únete a nuestro grupo privado de Facebook. Busque "Libro valiente" en Facebook o visite: fb.librovaliente.com

¿Interesado en comprar 50 o más copias de libro? Solicite nuestro programa de descuentos. hola@LibroValiente.com
www.LibroValiente.com

Gracias - Ahora Necesito Tu Ayuda

¿Podrías por favor escribir una reseña de tu experiencia con este Diario de oración? Significaría mucho para mí y ayudará a otros a encontrar este libro. Muchas gracias de antemano.

Para dejar una reseña honesta, escanee el código QR o visite: comentario.librovaliente.com

Aquí hay una escritura más para ti. Es mi versículo favorito de la Biblia. Es 1. Corintios 2:9. Dice: "Pero, como está escrito, "Lo que ningún ojo ha visto, ni oído, ni el corazón del hombre imaginó, lo que Dios ha preparado para aquellos que lo aman". Esta escritura dice que Dios tiene algo especial arreglado para ti y para mí. Es algo que ni siquiera podemos imaginar.

Esta escritura no solo se refiere a la promesa del cielo para los creyentes (lo cual es más que suficiente si me preguntas), sino que también creo que se refiere a las muchas bendiciones que Dios tiene para ti y para mí hoy. Después de todo, él es nuestro Buen Padre. Por lo tanto, piensa en grande, cree en grande, ora en grande y vive una vida llena de esperanza y expectativa. Dios tiene algo grande preparado para ti. Y sepan esto, lo mejor está por venir.

¡Bendiciones!
Nick I. Gonzalez
NickGonzalez.com

Made in the USA
Middletown, DE
12 June 2023

32488212R00086